海底大探险

孙静编/吴飞绘

长江出版社

图书在版编目（CIP）数据

海底大探险 / 孙静编；吴飞绘 . — 武汉：长江出版社，2015.1
（奇妙的科学）
ISBN 978-7-5492-3129-4

Ⅰ . ①海… Ⅱ . ①孙… ②吴… Ⅲ . ①海底—儿童读物 Ⅳ . ① P737.2-49

中国版本图书馆 CIP 数据核字（2015）第 033278 号

奇妙的科学 · 海底大探险

QI MIAO DE KE XUE HAI DI DA TAN XIAN

海底大探险   孙静 编/吴飞 绘

责任编辑：高　伟
装帧设计：新奇遇文化
出版发行：长江出版社
地　　址：武汉市解放大道1863号   邮　编：430010
E-mail：cjpub@vip.sina.com
电　　话：（027）82927763（总编室）
　　　　　（027）82926806（市场营销部）
经　　销：全国各地新华书店
印　　刷：武汉鑫佳捷印务有限公司
规　　格：787mm×1092mm   1/16   2 印张
版　　次：2015年1月第1版   2015年3月第1次印刷
ISBN 978-7-5492-3129-4
定　　价：12.80元

献给孩子的《奇妙的科学》

你是一个热爱科学的孩子吗？你梦想过成为一名科学家吗？

你了解我们的国宝大熊猫吗？你知道沙漠里生活着什么动物吗？你想过去海底世界畅游吗？

如果你立志成为一个热爱科学的人，那么从今天开始，来了解我们身边的世界，探索大自然的奥秘吧。

我们为热爱科学的孩子创作了这样一套《奇妙的科学》绘本。在这里，你可以触摸到可爱的动物、神奇的植物，还有好多神秘而又有趣的知识呢；在这里，你可以读到很多精彩的故事，可以欣赏到美丽而精致的画面。

更重要的是，这里的故事蕴藏着宝贵的科学道理。书中有"成长笔记"和"延伸阅读"两个小栏目，它们会像指路明灯一样指引着我们，走近科学，爱上科学。

好吧，让我们一起翻开书，一起走进知识的海洋吧！

这是海边一个温暖平静的夜晚，皎洁的月光照在沙滩上，海浪拍打着岩石形成一朵朵美丽的浪花。

　　咦，沙滩上有一处沙子在动！仔细一看，原来是几只刚破壳的小海龟爬出来了。

小海龟们东走走，西看看，真是开心啊！突然，一只叫豆豆的小海龟大叫道："呀！那不是大海吗？我们赶快回家吧！"其他小海龟听后，都兴奋地借着月光的指引，一步一步向大海爬去。

成长笔记

海龟生活在海里，但一般在坡度较小、沙质松软的海滩上产卵。

豆豆和兄弟姐妹们回到大海里，他们看到了长相奇特的翻车鱼、体型巨大的鲸鱼，还有色彩斑斓的蝴蝶鱼。很快，豆豆的注意力就被周围的景物吸引了，渐渐远离了伙伴们。

突然，一条鲨鱼张着血盆大口飞快地向豆豆游来，他的牙齿像一把把锋利的尖刀。豆豆吓了一大跳，想要躲起来，却无处可藏，只得紧紧地闭上眼睛。

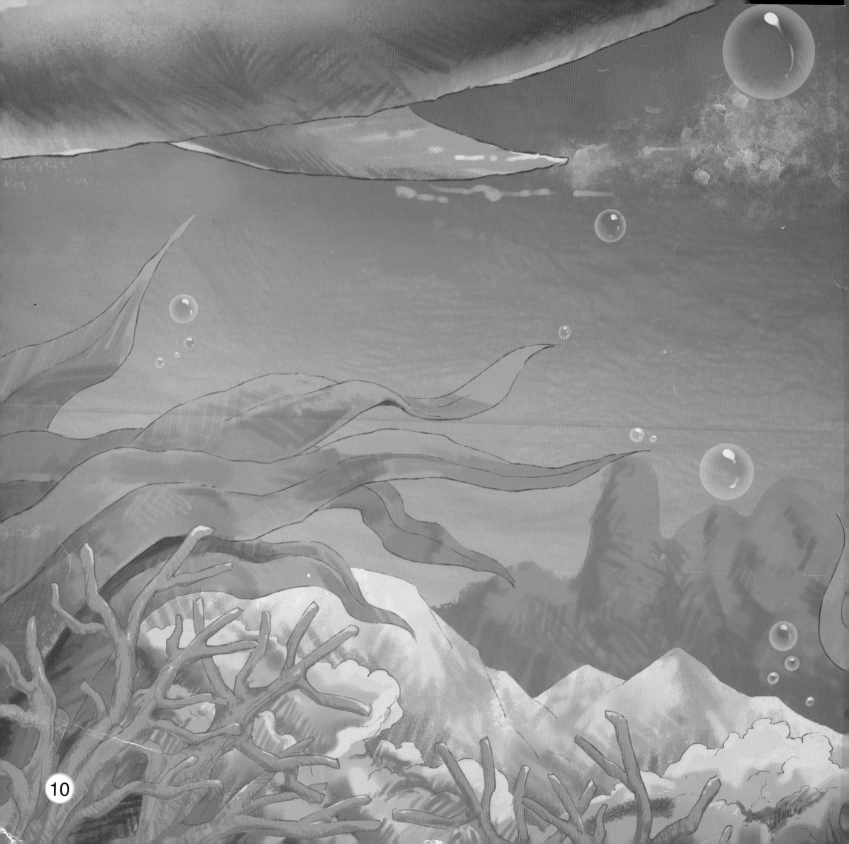

可是过了好久，豆豆也没有被鲨鱼吃掉。他偷偷睁开眼睛，发现自己还是在海里，而不是在鲨鱼的肚子里。"这是怎么回事呢？"豆豆有些疑惑。

"真是个小傻瓜！哈哈哈……"不知从哪儿传来了一阵笑声，豆豆抬头一看，原来是一只小丑鱼。豆豆生气地说："喂，是你说我傻吗？我才不傻呢！"

　　小丑鱼接着说："但你刚刚不就以为自己要被吃掉吗？你知道为什么你会没事吗？"

豆豆不服气地问："难道你知道吗？"

小丑鱼得意地说："那当然了，别看鲨鱼那么凶，其实他是个近视眼，根本看不清眼前的东西。刚刚他只是嗅到了血腥味，赶来捕食的。"

成长笔记

鲁鱼的嗅觉非常灵敏，能够嗅到几千米外的血腥味。

　　豆豆这才明白了，他有些不好意思地对小丑鱼说："谢谢你啊，小丑鱼，你知道的东西可真多啊！"

　　小丑鱼摇摇头说："不客气，你还是快去找你的伙伴吧。"

豆豆点点头，赶紧去找失散的伙伴们。

游着游着，豆豆竟来到了海底。他看到一朵美丽的海葵，长长
的触手随着水流摆动，犹如在风中摇曳的花瓣，便忍不住想要伸手
去摸一摸。

就在这时，一条小鱼游到海葵旁边，只见海葵的触手猛地收缩，触手上的刺刺中了小鱼，小鱼挣扎了几下就没动静了。

"啊，海葵原来这么可怕啊！"豆豆张大嘴巴惊呼。

成长笔记

海葵的触手上有无数的刺丝囊，里面含有毒素。

21

这时，海马伯伯游了过来："小家伙，可要小心啊！这海葵虽然不能主动出击获取猎物，但是它的触手一旦受到刺激，哪怕是轻轻地一掠，它都能毫不留情地捉住到手的食物。"

豆豆点点头，更加小心了。不知又过了多久，他终于找到了伙伴们，于是迫不及待地向他们讲述了这一路上的惊险经历。大家时而惊呼，时而感叹，对豆豆的经历好奇极了。

豆豆和伙伴们休息了一会儿，又继续探索海底世界了。他想："接下来还会有什么有趣的事情发生呢？"

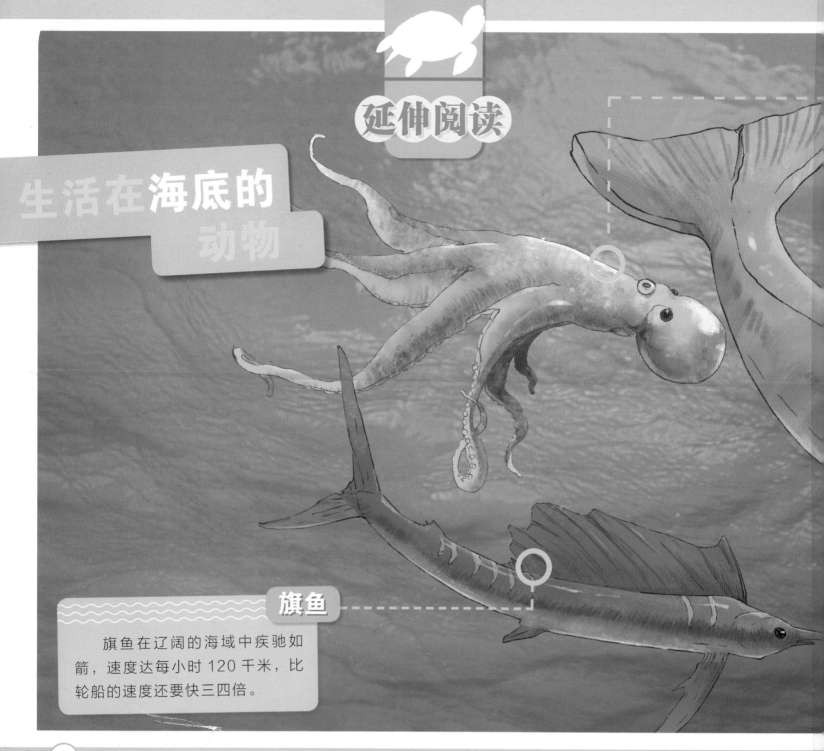

延伸阅读

生活在海底的动物

旗鱼

旗鱼在辽阔的海域中疾驰如箭，速度达每小时 120 千米，比轮船的速度还要快三四倍。

章鱼

章鱼在受到威胁时会向外喷出墨汁，不仅可以连续六次往外喷射墨汁，而且过半小时后又能积蓄很多墨汁用于迷惑对手。

鲸鱼

鲸鱼是地球上体积最大的生物，是生活在海洋里的哺乳动物。

小海马是海马爸爸生的吗？

不是。每年的 5 月至 8 月是海马的繁殖期，这期间海马妈妈把卵产在海马爸爸腹部的育儿袋中，卵经过 50 至 60 天的孵化，幼鱼就会从海马爸爸的育儿袋中生出，所以说是海马爸爸负责育儿，但卵还是来源于海马妈妈。

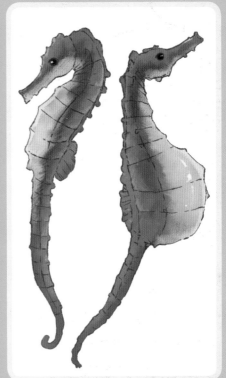

奇妙的科学

《奇妙的科学》绘本的四大特色

★ 这是一套专门为3~9岁小朋友编写的优秀科普读物。

★ 选取的都是小朋友最感兴趣的主题，包含了动物、植物、天文、地理等多个领域。

★ 语言生动活泼，再配以精致的插图，使全套书达到故事与科学的完美结合。

★ 书中精心设计了"成长笔记"和"延伸阅读"两个小栏目，有助于激发小朋友探索科学的兴趣。